Entonces llega el
VERANO

Con gran amor a Lizzie, Will, Wes, Jack, Roy, Coleman, Paloma, Olive y Fox
T. B.

A papá. Gracias por todos los grandes recuerdos del verano.
J. K.

Originally published in English by Candlewick Press as *And Then Comes Summer*

Translated by J.P. Lombana

Text copyright © 2017 by Tom Brenner
Illustrations copyright © 2017 by Jaime Kim
Translation copyright © 2018 by Scholastic Inc.

ISBN 978-1-338-24954-5

10 9 8 7 6 5 4 3 2   18 19 20 21 22

Printed in the U.S.A.   40

First Scholastic Spanish printing 2018

Entonces llega el
VERANO

TOM BRENNER
ilustrado por **JAIME KIM**

SCHOLASTIC INC.

CUANDO los días se estiren como un largo bostezo,

y la hierba y las hojas brillen con el rocío,

y las caras felices de las violetas saluden y saluden...

ENTONCES ponte las chanclas y respira el aire fresco.

CUANDO las abejas zumben en las flores,

y los pájaros vuelen de rama en rama,

y el aire vibre con el ruido de las máquinas podadoras...

ENTONCES ponle aire a las ruedas de tu bicicleta,

busca tu casco,

y sube el asiento... ¡vaya si has crecido!

CUANDO hayas terminado el último proyecto de la escuela,
y tu pupitre esté limpio sin migas de galleta ni pedazos de borrador,
y todos los abrazos de fin de año hayan sido repartidos...

ENTONCES reemplaza la mochila y los cuadernos
por jarras y vasos.

CUANDO la luz del día se alargue,

y los grillos canten al anochecer,

y algunos insectos grandes como pulgares se estrellen contra las ventanas...

ENTONCES juega a las escondidas hasta que la oscuridad les gane a todos.

CUANDO las tiendas se adornen con rayas y estrellas,
y las banderas ondeen en los porches y en los autos,
y toda la ciudad parezca envuelta en mantas...

ENTONCES adorna tu bicicleta y pedalea hasta el desfile.

CUANDO las bandas marchen —izquierda, derecha, izquierda, derecha—
y todo tipo de carrozas desfilen,
y los Scouts y los pioneros lancen dulces...

ENTONCES agarra tu manta y mira la noche llenarse de colores.

CUANDO todos los días parezcan sábado,

y los porches, los patios y las aceras sean como parques,

y una melodía conocida interrumpa el juego...

ENTONCES corre a hacer la fila...

—¡Vainilla, por favor!

CUANDO los lentos días de verano pasen uno a uno,
y haga tanto calor que no haya más que hacer que
resoplar, y ni siquiera los aspersores logren refrescar...

ENTONCES es hora de ir al lago.

Baja la ventanilla y huele la hierba seca y caliente,
cántales tus canciones favoritas a los pájaros que revolotean
por los campos, y pregunta por milésima vez, "¿Ya vamos a llegar?".

CUANDO por fin aparezca el paisaje familiar,
y el lago plateado brille entre los árboles,
y los viejos amigos te saluden...

ENTONCES sal del auto,

corre hasta la playa,

y nada hasta que el sol baje y tus labios se pongan azules.

Y CUANDO la cena haya terminado y los cuentos hayan sido contados,
y tus dedos estén pegajosos de malvavisco y chocolate,
y la fogata se esté apagando poco a poco...

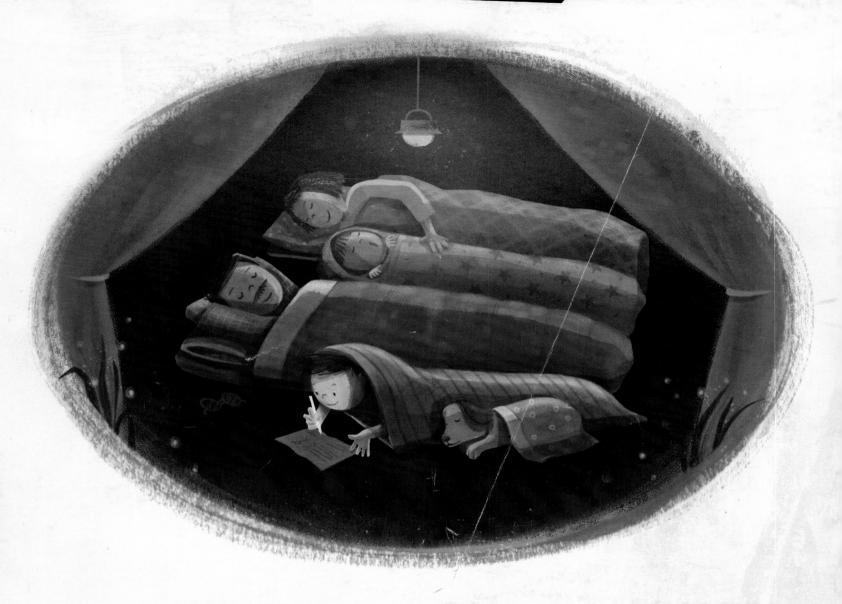

ENTONCES métete en tu bolsa de dormir y planea las aventuras que tendrás mañana.